NARANJA DULCE

AUTORAS

María Acosta ❖ Ramonita Adorno de Santiago ❖ JoAnn Canales ❖ Kathy Escamilla
Joanna Fountain-Schroeder ❖ Lada Josefa Kratky ❖ Sheron Long ❖ Elba Maldonado-Colón
Sylvia Cavazos Peña ❖ Rosalía Salinas ❖ Josefina Villamil Tinajero
María Emilia Torres-Guzmán ❖ Olga Valcourt-Schwartz

Macmillan/McGraw-Hill

A Division of The **McGraw·Hill** Companies

NEW YORK   **FARMINGTON**

Teacher Reviewers

Hilda Angiulo, Jeanne Cantú, Marina L. Cook, Hilda M. Davis, Dorothy Foster, Irma Gómez-Torres, Rosa Luján, Norma Martínez, Ana Pomar, Marta Puga

ACKNOWLEDGMENTS

The publisher gratefully acknowledges permission to reprint the following copyrighted material:

"Naranja dulce" an excerpt from NARANJA DULCE, LIMÓN PARTIDO by Mercedes Díaz Roig and María Teresa Miaja. © 1979 El Colegio de México. Used by permission of the publisher.

SUBE, BAJA, ESPERA, DALE translation of the entire text of CARRY GO BRING COME by Vyanne Samuels. Copyright © 1988 by Vyanne Samuels. Illustrations copyright © 1988 by Jennifer Northway. Used by permission of The Bodley Head as publishers.

"Éste es un grillo" by Eduardo González Lanuza from POESÍA INFANTIL: ESTUDIO Y ANTOLOGÍA by Elsa Isabel Bornemann. © by Editorial Latina S.C.A. Used by permission of the publisher.

ENRIQUE Y PANCHO an excerpt from a translation of HENRY AND MUDGE: THE FIRST BOOK. Text by Cynthia Rylant, illustrations by Suçie Stevenson. Text copyright © 1987 by Cynthia Rylant. Illustrations copyright © 1987 by Suçie Stevenson. Translated and reprinted with permission of Bradbury Press, an affiliate of Macmillan, Inc.

EL DOLOR DE MUELAS DE ALBERTO translation of the entire text of ALBERT'S TOOTHACHE by Barbara Williams, illustrated by Kay Chorao. Translated by Alma Flor Ada. Text copyright © 1974 by Barbara Williams. Translation copyright © 1974 by E. P. Dutton. Used by permission of Dutton Children's Books, a division of Penguin Books USA Inc.

"La Viborita" and "Cocodrilo" by María Elena Walsh from POESÍA INFANTIL: ESTUDIO Y ANTOLOGÍA by Elsa Isabel Bornemann. © by Editorial Latina S.C.A. Used by permission of the publisher.

"Sorpresa" from VIAJE DE LA HORMIGA by Alicia Barreto de Corro. Published by Alicia Barreto de Corro. Used by permission of the publisher.

UN MANGO DE RECHUPETE adapted by Zoraida Vásquez and Julieta Montelongo. © 1984, Editorial Trillas, S.A. de C.V. Reprinted by permission of the publisher.

"La margarita," "La sandía," "El árbol," "La pera," "El plátano," from ADIVINANCERO POPULAR ESPAÑOL I by José Luis Gárfer and Concha Fernández. Published by Taurus Ediciones. Reprinted by permission of the publisher.

"La vaca estudiosa" from TUTÚ MARAMBÁ by María Elena Walsh. © 1976 Editorial Sudamericana Sociedad Anónima. Used by permission of the publisher.

NUEVA CADA UNO ¡GRAU! ¡GRAU! translation of the entire text of NINE-IN-ONE, GRR! GRR! told by Blia Ziong and adapted by Cathy Spagnoli. Text copyright © 1989 by Cathy Spagnoli. Illustrations copyright © 1989 by Nancy Hom. Reprinted by permission of GRM Associates, Inc., Agents for Children's Book Press.

EL LABRADOR Y SUS HIJOS from LA LECHERA Y EL CÁNTARO by Beatriz Barnes. © Centro Editor de América Latina. Used by permission of the publisher.

"Sinfín" from JUEGOS Y OTROS POEMAS by Mirta Aguirre. Published by Instituto Cubano del Libro, Editorial Gente Nueva 1974. Used by permission of the publisher.

LA SORPRESA DE LOS MIÉRCOLES translation of the entire text of THE WEDNESDAY SURPRISE by Eve Bunting with illustrations by Donald Carrick. Text copyright © 1989 by Eve Bunting. Illustrations copyright © 1989 by Donald Carrick. Reprinted by permission of Clarion Books, a Houghton Mifflin Company imprint. All rights reserved.

"Cuando yo cierro los ojos" from TINKE TINKE (Versicuentos) by Elsa Isabel Bornemann. © 1977 by Editorial Plus Ultra. Used by permission of the publisher.

PELUSO Y LA COMETA by Jean Paul Leclercq and illustrated by Carme Solé Vendrell. © Jean Paul Leclercq - Carme Solé Vendrell, 1979. © Susaeta, S.A. Used by permission of the publisher.

"Señor caracol..." from GIRASOL by Tomás Calleja Guijarro. © Tomás Calleja Guijarro, 1982. Published by Editorial Escuela Española, S. A. Used by permission of the publisher.

LA CHIVA EN EL TAPETE translation of the entire text of THE GOAT IN THE RUG by Charles Blood and Martin Link. Copyright © 1980 by Charles L. Blood and Martin A. Link. Illustrations copyright © 1980 by Nancy Winslow Parker. Translated and reprinted by permission from Four Winds Press, an imprint of Macmillan Publishing Company.

"A galope vengo" and "Acitrón de un fandango" from NARANJA DULCE, LIMÓN PARTIDO by Mercedes Díaz Roig and María Teresa Miaja. © 1979, El Colegio de México. Reprinted by permission of the publisher.

HENRY SE EQUIVOCA translation of the entire text of HENRY'S WRONG TURN by Harriet Ziefert with illustrations by Andrea Baruffi. Text copyright © 1989 by Harriet Ziefert. Illustrations copyright © 1989 by Andrea Baruffi. Published by Little, Brown and Company. Translated by permission of Harriet Ziefert.

TRISTE HISTORIA DEL SOL CON FINAL FELIZ by Elena Climent. © 1986, Editorial Trillas, S.A. de C.V. Used by permission of the publisher.

"Compañero, ¿qué sabes tocaire?" from POESÍA INFANTIL by Elsa Isabel Bornemann. © by Editorial Latina S.C.A. Used by permission of the publisher.

(continued on page 383)

Macmillan/McGraw-Hill

A Division of The McGraw-Hill Companies

NARANJA DULCE

Naranja dulce,
limón partido,
dame un abrazo
que yo te pido.

Tradicional

En FAMILIA

80

El dolor de muelas de Alberto

cuento
texto de Barbara Williams
libro en español de Alma Flor Ada
ilustraciones de John Sandford

Libro Infantil premiado por la Asociación de Bibliotecas Americanas; Libros Infantiles: 100 Títulos para Leer y Compartir, *New York Public Library*

El pobre de Alberto no se sentía bien. Nadie creía que tenía dolor de muelas.

¡Ya sé!

178

El labrador y sus hijos

cuento
texto de Beatriz Barnes, ilustraciones de Lindy Burnett

Antes de morir, un viejo labrador les deja a sus hijos un tesoro escondido en el campo. Los hijos no tardan en descubrirlo, pero no es lo que esperaban.

198

La sorpresa de los miércoles

cuento
texto de Eve Bunting, ilustraciones de Donald Carrick

Autora ganadora del Premio *Golden Kite*; Ilustrador ganador del Premio Irma Simonton Black; Libro Infantil Notable de la Asociación de Bibliotecas Americanas, 1990; Mejor Libro del Año de *School Library Journal*, 1989

Todos los miércoles, la abuela visita a su nieta. Juntas, preparan una sorpresa.

¡QUÉ COMPAÑEROS!

CONTENIDO

En familia

El día en que tú naciste

El día en que tú naciste,
nacieron las cosas bellas;
nació el Sol, nació la Luna
y nacieron las estrellas.

—TRADICIONAL

José se llamaba el padre

basado en una poesía tradicional
Lada Josefa Kratky

Conozcamos a Lada Josefa Kratky

¿Conoces a todos tus parientes? ¿Qué sabes de ellos? La familia de Lada Josefa Kratky es pequeña. Ella no tiene ni tíos ni primos, ya que sus padres fueron hijos únicos. No llegó a conocer a sus abuelos hasta que tenía veintiún años. Hasta entonces, los había conocido sólo a través de cartas y de lo que su madre le contaba de ellos.

Dice Lada: —Escribí este cuento porque creo que al conocer a nuestros antepasados nos conocemos mejor a nosotros mismos.

Arecibo

Sta Juan Bautista de Puerto Rico

ISLA DE PUERTO RICO

Sta Juan Bautista de Puerto Rico

15

Juan se llamaba el tatarabuelo,
Juana, la tatarabuela,
y a la hija que tuvieron
le pusieron María.

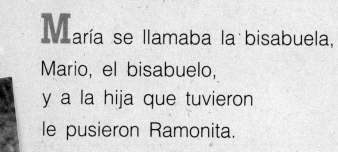

María se llamaba la bisabuela,
Mario, el bisabuelo,
y a la hija que tuvieron
le pusieron Ramonita.

Ramonita se llamaba la abuela,
Ramón, el abuelo,
y al hijo que tuvieron
le pusieron José.

José se llamaba el padre,
Josefa, la mamá,
y a la hija que tuvieron
me pusieron . . .

¡Julia!

Me llamo Julia. De toda la familia, yo soy la menor. Nuestra familia es grande y somos todos de Puerto Rico. Yo llegué a conocer a mis parientes a través de estas fotos. Papá me habla mucho de su familia.

Juan se llamaba mi tatarabuelo, pero le decían "Bigotes". Vivía en el campo y cultivaba caña de azúcar, frutas y vegetales. Era una vida muy dura. En tiempos de cosecha había mucho trabajo. La caña se cortaba a mano y se llevaba a la central en carretas tiradas por bueyes.

Juana se llamaba mi tatarabuela. Como muchas mujeres de Puerto Rico, ella bordaba. Los bordados de la isla eran muy conocidos y se vendían en los Estados Unidos.

Juan y Juana tuvieron dos hijos, Miguel y Luis. También tuvieron una hija. A la hija le pusieron María.

María se llamaba mi bisabuela. Era maestra de música y tocaba el piano muy bien. Siempre que había fiesta, le pedían a ella que tocara.

El verano pasado papá encontró una hoja de papel delicado y amarillento en una vieja caja. Era la canción del coquí que le gustaba mucho a mi bisabuela.

Mario se llamaba mi bisabuelo. Él también trabajaba en el campo. En tiempos de cosecha, él llenaba el Chiquichaque de frutas y legumbres y las vendía en el mercado de la ciudad. El Chiquichaque era su camioneta.

María y Mario tuvieron un hijo, Francisco, y una hija llamada Ramonita. Ésta es Ramonita.

Ramonita se llama mi abuela. La recuerdo muy bien. Recuerdo que por las mañanas dejaba granitos de azúcar en la mesa de la cocina. Al rato entraba por la ventana una reinita y se comía los granitos de azúcar.

Ramón se llamaba mi abuelo. Trabajaba en las oficinas de la central. Cuando yo era chiquita, me llevó a la central y me explicó cómo se hacía el azúcar. Me llevó de la mano, y su mano era grande y áspera. Recuerdo que el suelo estaba cubierto de un polvo finito, finito. Yo metí las manos en ese polvo blanquito. ¡Era azúcar!

En mi familia nos divertíamos mucho.
El abuelo tenía un carro al que le decía
Hortensia. Los fines de semana, Hortensia
nos llevaba de paseo al campo. Parábamos
junto a un árbol enorme que se llama ceiba.
Allí nos poníamos a jugar. Nos subíamos
al árbol, jugábamos a las escondidas o
nos bañábamos en el río.

Ramonita y Ramón tuvieron un hijo, y a ese hijo le pusieron José. ¡Y José es mi papá! ¡Mira qué cantidad de pelo tenía cuando nació!

Cuando mis padres se casaron, hicieron una gran fiesta. Me dijeron que hubo una gran comelata, buena música y mucha alegría. Mi tía María tocó el piano de mi bisabuela. Mi abuelito preparó un lechón asado. ¡Y en la mesa pusieron un mantel que bordó mi tatarabuela! ¡Qué fiesta!

José y Josefa tuvieron una hija, a mí, y me pusieron Julia. Dicen que desde chiquita he tenido cara de traviesa.

Cuando tenía seis años, mis padres me trajeron a vivir a Nueva York. Vivimos en un edificio alto, rodeado de otros edificios.

Papá es camionero. Se va de la casa por varios días a la vez. En su camión, lleva fruta del sur al norte. Y luego, del norte al sur, lleva cosas como llantas, muebles y hasta carros.

Mamá es bibliotecaria. Trabaja en la sección de libros para niños.

Yo voy a una escuela cerca de mi casa.
Hablo inglés y español y me va muy bien
en la escuela.

Me gusta mucho ir de compras con mi mamá.
Me encanta cuando me lleva a la juguetería.
Tengo una colección de carritos y allí siempre
encuentro uno que falta en mi colección.

El año pasado, Abuelita vino a visitarme. Este verano, vamos a Puerto Rico a visitarla a ella. Quiero visitar la central otra vez, y jugar junto a la ceiba, y comer lechón asado. Nos quedaremos todo el verano. ¡Qué chévere!

Troncos Y ramas

Éste es el árbol genealógico de una familia vietnamita. Habla con tu propia familia y haz tu propio árbol.

Nguyet nació en Nha Trang, Vietnam, el 28 de octubre, 1932.

Hông nació en Saigón, Vietnam, el 4 de enero, 1930.

Tuyet nació en San Francisco, California, el 17 de agosto, 1955.

La familia Tran

Vân
nació en Da Lat, Vietnam, el 10 de mayo, 1928.

Trung
nació en Phan Thiet, Vietnam, el 12 de julio, 1935.

Hung
nació en San Francisco, California, el 14 de diciembre, 1960.

Lan
nació en Sacramento, California, el 22 de abril, 1985.

El cuento viruento

Había una mami
virami virami,
de pico pico tami
de Pomporirá.

Había un papi
virapi virapi
de pico pico tapi
de Pomporirá.

36

Tenían tres hijos
virijos virijos
de pico pico tijo
de Pomporirá.

Uno iba a la escuela
viruela viruela
de pico pico tuela
de Pomporirá.

Otro iba al estudio
virudio virudio
de pico pico tudio
de Pomporirá.

Otro iba al colegio
viregio viregio
de pico pico tegio
de Pomporirá.

Aquí termina el cuento
viruento viruento
de pico pico tuento
de Pomporirá.

—Tradicional

37

Sube, baja,

Vyanne Samuels

**ilustraciones de
Jennifer Northway**

Era un sábado de mañanita en casa de León.

Era la mañana de un gran sábado en casa de León.

Era el día de bodas de Marcia, la hermana de León.

espera, dale

odos los de la casa se estaban preparando para este gran sábado. Todos se estaban preparando para la gran boda.

Bueno, es decir, todos menos León, que estaba abajo bien dormidito.

—¡Despiértate, León! —gritó
su mamá desde arriba. Pero León ni se movía.

—¡Despiértate, León! —gritó su hermana
Marlene desde arriba.

Pero León ni se movía.

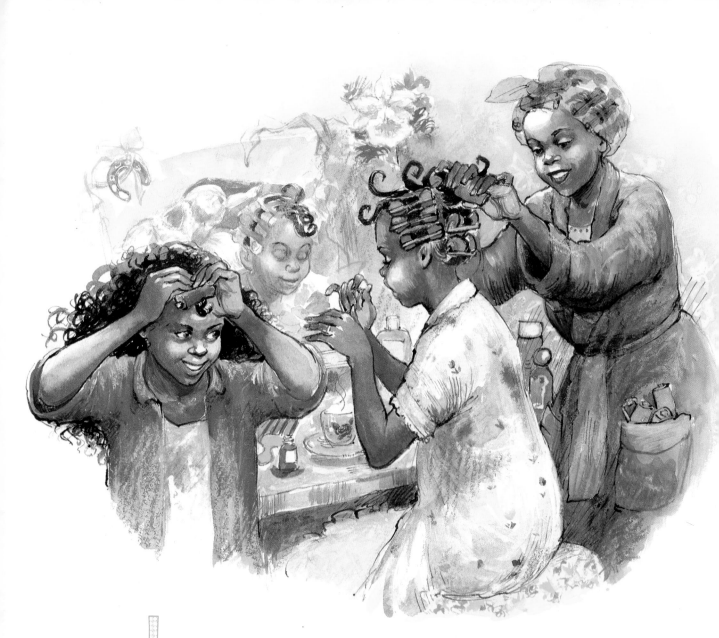

La mamá de León y sus hermanas
Marlene y Marcia estaban muy ocupadas sacándose
los rulotes azules del pelo. Así que se les olvidó volver
a llamar a León para que se despertara.

Se estaban preparando para el gran día.

Se estaban preparando para la boda de Marcia.

—¡Despiértate, León —dijo Abuelita, en voz baja desde abajo.

A León se le abrieron los ojos inmediatamente.

León se había despertado.

—Sube y dale esto a tu mamá —dijo Abuelita y le entregó una flor de seda color de rosa.

on la flor en la mano, León subió corriendo al cuarto de arriba. Pero antes de que pudiera tocar a la puerta, oyó que su hermana Marcia lo llamaba.

—Espérate un momentito —dijo Marcia, y le entregó un velito blanco—. Baja y dale esto a Abuelita.

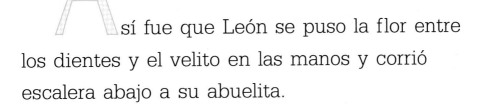

Así fue que León se puso la flor entre los dientes y el velito en las manos y corrió escalera abajo a su abuelita.

Al llegar abajo al cuarto de su abuelita,
ella lo llamó antes de que él pudiera tocar.

—Espérate un momentito —dijo Abuelita.
Él esperó.

—Súbele éstos a Marlene —dijo ella y
le entregó un par de zapatos azules.

Así fue que León se puso el velo en la cabeza, se quedó con la flor entre los dientes y subió con los zapatos en las manos.

Iba al cuarto de Marlene.

ero al llegar a la puerta del cuarto,
Marlene lo llamó antes de que él pudiera tocar.

—Espérate un momentito —dijo Marlene, y le
pasó un par de guantes amarillos—. Bájale éstos
a Abuelita.

sí fue que León se puso
los guantes en las manos,

los zapatos en los pies,

el velo en la cabeza
y la flor de seda color de rosa
entre los dientes.

ajó tambaleando al cuarto
de Abuelita, quien lo llamó antes de que
él pudiera tocar.

—Espérate un momentito —le dijo. Él esperó.

—Súbele esto a Marcia —le dijo, y le pasó
una botellita verde de perfume.

—Ten cuidado —le advirtió.

Así fue que León subió las escaleras, con
mucho cuidado. Llevaba la botellita verde de perfume,
los guantes amarillos,
los zapatos azules,
el velito blanco
y la flor de seda color de rosa.
De repente no pudo seguir y dio un grito:

—¡AY, AY, AY!

Por poco y se traga la flor.

Su mamá salió corriendo del cuarto de arriba.
Su hermana Marlene salió corriendo del cuarto de arriba.

Abuelita salió apresurada del cuarto de abajo.

Hubo un silencio tremendo.
Todas se quedaron mirando a León.

—Pues, ¡mira lo que tiene en los pies!
—dijo la mamá.

—Pues, ¡mira lo que tiene en los dedos y las manos!
—dijo Marlene.

—Pues, ¡mira lo que tiene en la cabeza! —dijo Abuelita.

—Pues, ¡mira lo que tiene en la boca! —dijo Marcia.

¡Y todas se echaron a reír!

León parecía una novia.

Una por una, Mamá, Marcia, Marlene
y Abuelita le fueron quitando la flor de seda
color de rosa, el velito blanco, la botellita verde
de perfume, los zapatos azules y los guantes amarillos.

—¿Y cuándo me visto yo para la boda? —preguntó León, que ahora sólo llevaba sus pijamas.

—Espérate un momentito —dijo Abuelita.

León se le abrieron los ojos bien abiertos.

—¿ME ESTÁN DICIENDO QUE TENGO QUE ESPERAR OTRO MOMENTITO? —gritó.

Y antes de que le pudieran contestar, se fue corriendo escalera abajo . . .

Y ligerito se volvió a meter en la cama sin esperar ni un momentito.

Conozcamos a
Vyanne Samuels

La idea para "Sube, baja, espera, dale" le vino a
Vyanne Samuels una tarde en un parque en Londres.
Vio que le pedían a un niño que llevara y trajera cosas.

Dice: —Quería escribir un cuento sobre cómo van las
cosas en una casa de las Antillas la mañana de una boda.
A la gente de las Antillas les encantan las bodas.

Indica luego la Sra. Samuels: —Notarán que no hay
hombres en la casa en mi libro. En las Antillas, la madre
se encarga de los niños. Las mujeres cuidan a los niños
solas, por eso, no hay hombres en el cuento.

Cuando la Sra. Samuels escribió el libro, su hijo,
Dominic, tenía seis años. Dice: —Dominic me inspira
ideas. Cuando termino de escribir un cuento,
él me dice si es chistoso o aburrido.

Dice que "Sube, baja, espera, dale" es un
cuento que le gustó mucho a Dominic.

ÉSTE ES UN GRILLO

Éste es un grillo, éste es un gallo,

éste es mi niño  montado a caballo.

 Ésta es una rosa, éste es el clavel,

ésta es mi niña bordando un mantel.

62

Ésta es la luna,  éste es el lucero,

 éste es mi niño en el mar marinero.

 Ésta que canta es la pájara-pinta,

ésta es mi niña  que se ata una cinta.

Ésta es una espiga, éste es un manzano,

éstos son mis niños que van de la mano.
—Eduardo González Lanuza

Conozcamos a **Cynthia Rylant**

Dice Cynthia Rylant: —La idea para "Enrique y Pancho" vino de mi propia vida. Yo tenía un perro mastín llamado Mudge que pesaba 200 libras. Mi hijo, Nate, tenía entonces siete años. Los dos juntos se convirtieron en Enrique y Pancho en mis libros. El que haya amado a un perro sabrá que un perro es un gran tesoro. No puedes permanecer triste por mucho tiempo si tienes un perro que te está lamiendo la cara, dándote la pata y babeándote los zapatos.

Conozcamos a **Suçie Stevenson**

A Suçie Stevenson le encanta hacer los dibujos para los cuentos de Enrique y Pancho. Dice: —Los cuentos sobre Enrique y Pancho son reales. Los cuentos tratan de cosas que me han pasado a mí.

Cuando le preguntamos qué les diría a los niños que quieren ser ilustradores, la Srta. Stevenson dijo: —No escuchen cuando otros les digan lo que deben dibujar. Pongan colores donde quieran. Dibujen y exprésense. Si les gusta dibujar, ustedes pueden hacerlo solos.

Enrique y Pancho

Cynthia Rylant
ilustraciones de Suçie Stevenson

Enrique

Enrique no tenía hermanos.

—Quiero un hermano
—les dijo a sus padres.

—Lo sentimos —le dijeron.

Enrique no tenía amigos
en la calle donde vivía.

—Quiero vivir en
otra calle —les dijo
a sus padres.

—Lo sentimos —le dijeron.

Enrique no tenía animales
en su casa.

—Quiero un perro —les
dijo a sus padres.

Casi dijeron: —Lo sentimos.

Pero primero miraron
la casa sin hermanos.

Después, miraron
la calle sin niños.

Luego, miraron
la cara de Enrique.

Y luego se miraron el uno al otro.

—Bueno —dijeron.

—Quiero abrazarlos —les
dijo Enrique a sus padres.

Y lo hizo.

Pancho

Enrique buscó un perro.

—No quiero uno cualquiera.

No quiero que sea bajito.

No quiero que tenga pelo crespo.

No quiero que tenga orejas puntiagudas.

Entonces encontró a Pancho.
Tenía orejas caídas,
no puntiagudas.
Tenía pelo lacio,
no crespo.
Pero Pancho era bajito.

—Porque es un cachorro
—dijo Enrique—.
Va a crecer.

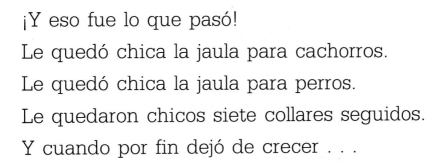

¡Y eso fue lo que pasó!

Le quedó chica la jaula para cachorros.

Le quedó chica la jaula para perros.

Le quedaron chicos siete collares seguidos.

Y cuando por fin dejó de crecer . . .

pesaba ciento ochenta libras,
medía tres pies de alto
y babeaba.

—Me alegro de que no
seas bajito —dijo Enrique.

Pancho lo lamió
y se sentó encima de él.

Enrique

Antes, Enrique caminaba
a la escuela solo.
Cuando caminaba
se preocupaba
de los tornados,
de los fantasmas,
de los perros que muerden
y de los peleones.

Caminaba tan rápido
como podía.
Miraba hacia adelante.
Nunca miraba hacia atrás.
Pero ahora caminaba
a la escuela con Pancho.

Y ahora cuando caminaba,
pensaba en
el helado de vainilla,
la lluvia,
las piedras
y los sueños.
Caminaba a la escuela
pero no muy rápido.
Caminaba a la escuela
y a veces iba marcha atrás.

Caminaba a la escuela
y acariciaba a Pancho
en la cabeza, feliz.

Hogar, calor, Mi

Los títeres
por Berta Hiriart Urdanivia

La niña que cuenta este cuento
es hija de unos titiriteros.
Ella te mostrará cómo se
hacen los títeres, quién
escribe la historia que
cuentan y la vida que
lleva una familia
de titiriteros.
(Editorial Patria, 1984)

La familia Villarreal
por Lada Josefa Kratky

Este libro te presenta
a la familia Villarreal.
Verás cómo viven, dónde
trabajan y qué hacen
los fines de semana.
(Hampton-Brown Books, 1991)

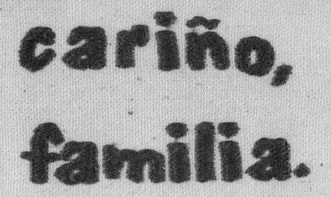

cariño, amor.
familia.

¡Qué semana, Luchito!
por Ina Cumpiano

Cada día, Luchito le
pide a su familia que
haga algo con él. Pero
todos están ocupados.
El sábado, Luchito se entera
de que le estaban preparando
una sorpresa para su cumpleaños.
(Hampton-Brown Books, 1991)

El dolor de muelas de Alberto

Barbara Williams
libro en español de Alma Flor Ada
ilustraciones de John Sandford

na mañana, Alberto Tortuga se quejó de dolor de muelas.

—Eso es imposible —dijo su papá, mostrándole su propia boca sin dientes—. En nuestra familia nadie ha tenido nunca dolor de muelas.

Así y todo, Alberto estaba seguro de que tenía dolor de muelas y que necesitaba quedarse en la cama.

—¿Quién le tiene miedo a un dolor de muelas? —alardeó su hermano Homero.

—¿Ves? —dijo el papá de Alberto—. Homero no tiene dolor de muelas. Yo no tengo dolor de muelas. Maribel no tiene dolor de muelas. Y tu mamá no tiene dolor de muelas. Es imposible que nadie de nuestra familia tenga dolor de muelas.

—Nunca me crees —dijo Alberto.

—Te creería si dijeras la verdad —dijo su padre.

—Tú le creíste a Homero cuando dijo que él no rompió la ventana —Alberto le recordó a su padre.

—Mira —le dijo a Alberto—. Te he preparado un
desayuno especial con todas tus cosas favoritas: corteza
de roble aderezada con semillas de girasol, una hoja de
álamo seca y la mitad de una oruga verde.

—No puedo comer nada —dijo Alberto, sacando la punta de la nariz de debajo de las mantas—. Tengo dolor de muelas.

—Claro que no tienes dolor de muelas —dijo su madre.

—Nunca me crees —dijo Alberto.

—Te creería si dijeras la verdad —dijo la mamá
de Alberto.

—Le creíste a Papá cuando dijo que había pescado
una trucha de siete libras —se quejó Alberto.

La mamá de Alberto
llevó la bandeja de vuelta
a la cocina y salió al portal
a sentarse en su mecedora
favorita. Se preocupó y
se preocupó.

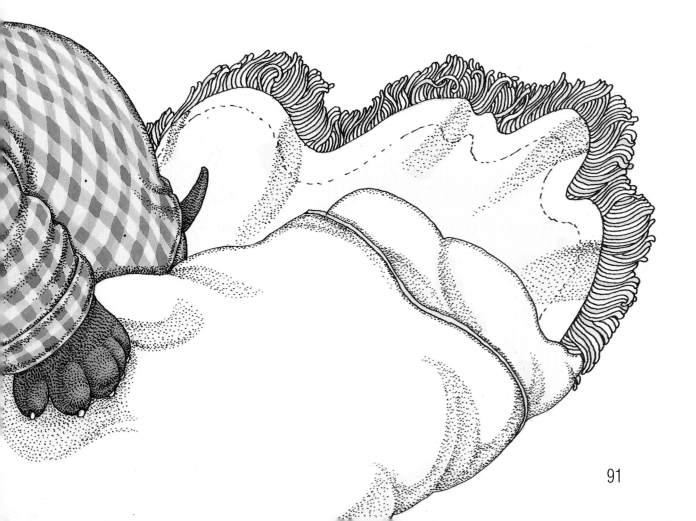

Entonces cogió una pelota y entró al cuarto de Alberto.

—Ven a jugar conmigo —le dijo—. Puedes enseñarme a tirar.

—Yo no te puedo enseñar a tirar —dijo Alberto—. Tengo dolor de muelas.

—Solamente crees que tienes dolor de muelas —dijo
su madre—. Ven, si tratas, puedes jugar a la pelota.

—Nunca me crees —dijo Alberto quejumbroso—. Le
creíste a Maribel cuando ella dijo que era la única niña
de su clase sin un par de botas negras con zíper.

—No puedo sentarme —dijo Alberto—. ¿Por qué no me crees nunca?— Y una lágrima grande rodó por su mejilla.

La mamá de Alberto guardó el álbum de la familia y se fue a la sala a acostarse en su sofá favorito. Se preocupó y se preocupó. Todavía estaba preocupándose cuando Maribel y Homero regresaron a la casa.

—¿Cómo está Alberto? —preguntó Maribel.

—Todavía dice que tiene dolor de muelas —dijo la mamá de Alberto.

—Nada más no quiere pelearse con Alfonso Ada —explicó Maribel—. Alfonso Ada lo estaba esperando después de la escuela.

—Si yo tuviera dolor de muelas todavía me pelearía con Alfonso Ada —anunció Homero.

—¿Todavía está haciéndose el enfermo ese hijo tuyo? —preguntó el papá de Alberto cuando regresó del trabajo.

—Sí —dijo la mamá de Alberto—. Quisiera que se acordara de que él es una tortuga.

—Es que sabía que íbamos a tener patas de araña gris para la cena —dijo Maribel.

—Yo no quiero patas de araña gris tampoco —dijo Homero.

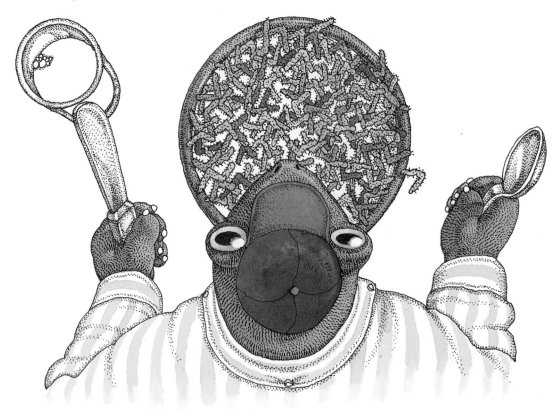

Después de la cena, Abuela Tortuga vino de visita trayéndoles chicle a los niños.

—¿Puedo tener el chicle de Alberto? —preguntó Maribel.

—Claro que no, es para Alberto —dijo su abuela.

—Él no lo va a querer. Dice que tiene dolor de muelas —dijo Maribel.

—¿No es terrible? —dijo la mamá
de Alberto.

—¿Puedes creer que tu nieto diga
una cosa imposible como ésa? —preguntó
el papá de Alberto.

—El problema con todos ustedes es
que nunca le creen —dijo la abuela
de Alberto.

La abuela de Alberto entró a su cuarto.

—Bueno —dijo ella—. Me han dicho que tienes dolor de muelas.

—Sí —dijo Alberto.

—¿Adónde tienes dolor de muelas? —preguntó la abuela de Alberto.

—En mi dedo del pie
izquierdo —dijo Alberto,
sacando su pie de debajo de
las mantas—. Un topo me mordió
cuando pisé en su cueva.

—Pues yo tengo exactamente lo que se necesita para curar ese dolor de muelas —dijo la abuela de Alberto. Sacó un pañuelo de su cartera y lo anudó alrededor del pie izquierdo de Alberto.

Alberto sonrió una sonrisa sin dientes y salió de la cama.

Conozcamos a Barbara Williams

Es muy difícil ser el menor de la familia. O te tratan como un bebé o, cuando les dices algo en serio, no te lo creen. ¿Te ha pasado eso, alguna vez? Los mayores se creen que lo saben todo.

Barbara Williams escribió "El dolor de muelas de Alberto" porque comprendía bien ese problema. De niña era la más chiquita de la clase y siempre la trataban de una manera especial. A Barbara le gusta escribir cuentos para niños porque dice que los niños aprecian mucho los libros. Y en este cuento, Barbara demuestra que entiende bien a los niños.

Conozcamos a Alma Flor Ada

Alma Flor Ada nació en la ciudad de Camagüey, en Cuba. De niña, jugaba por las tardes a la ronda con muchos niños. Luego su abuelita le contaba cuentos fantásticos y episodios reales de la historia de su país.

Dice: —Los libros han sido siempre para mí grandes compañeros. Mi abuela me enseñó a leer cuando era muy pequeñina. Y mi madre me regaló mi primer libro. Algunos de los mejores momentos de mi infancia me los pasé oculta entre las ramas de un árbol leyendo un libro. Por eso, no es extraño que me guste escribir y traducir libros.

La viborita

La viborita se va
corriendo a Vivoratá
para ver a su mamá.

La cabeza ya llegó
pero la colita no.

Terminó.

—María Elena Walsh

Cocodrilo

Cocodrilo
come coco,

muy tranquilo,
poco a poco.

Y ya separó un coquito
para su cocodrilito.
—María Elena Walsh

CONTENIDO

Sorpresa

¡Una hoja caminando!
No, no, una hormiga
la va cargando.

—ALICIA BARRETO DE CORRO

Un mango de rechupete

cuento tradicional de África

versión de Zoraida Vásquez y Julieta Montelongo
ilustraciones de Brian Pinkney

Tica es una niña que vive en Mozambique, y Mozambique es un país africano.

La piel de Tica es oscura y su pelo es negro y muy rizado, como el de la mayoría de los niños que viven allá.

117

A Tica, igual que a ti y a todos los niños, le gusta comer dulces, hacer muchas preguntas y jugar el mayor tiempo posible.

Pero hay algo que a Tica le gusta más que
nada en el mundo: comer mangos.

Un día, que no fue ayer ni anteayer, Tica caminaba por el monte cuando descubrió un mango, un mango enorme, hermoso, fuera de serie, ¡un mango de rechupete!

"Ese mango será mío", pensó Tica, y decidió obtenerlo.

Tica empezó a trepar por el árbol,

pero en la tercera rama resbaló y cayó al suelo.

Entonces, fue corriendo a su casa, cogió la vieja escalera y la arrastró por el monte hasta donde estaba el árbol.

Tica trepó por la escalera, pero los peldaños
estaban viejos y podridos por el agua de lluvia.

Una vez más cayó al suelo.

Después, se le ocurrió otra idea: buscó un palo muy largo e intentó bajar el mango con él, pero no pudo.

Tica se sentó bajo el árbol. Tenía
ganas de llorar, pero se acordó de
las palabras de su abuelo: —Cuando
tengas ganas de llorar, deja que
tus ojos arrojen unas lágrimas,
y dile a tu cabeza que mientras
tanto piense en la manera
de resolver tu problema.

Tica miró hacia arriba. Ahí estaba el mango, más apetitoso que nunca. Vio un changuito que se balanceaba en las ramas y una idea se le ocurrió de pronto. Ella sabía que los changos suelen imitar lo que uno hace.

Tica se puso a bailar y el changuito bailó sobre una rama. Tica empezó a hacer gestos y el changuito hizo gestos aún más graciosos.

Tica tomó del suelo una piedrita y se la arrojó al chango.

Entonces, el chango buscó a su alrededor, agarró el mango y se lo arrojó a Tica.

Ese mango le supo muy rico, no sólo porque era estupendo, sino porque lo había obtenido gracias a toda esa inteligencia que había dentro de su cabecita de pelo negro y rizado.

Conozcamos a Zoraida Vásquez

Zoraida Vásquez vivió en Mozambique por algunos años y oyó allí éste y muchos otros cuentos. Los abuelitos mozambiqueños contaban los cuentos para divertir y también para dar consejos a los jóvenes.

Cuando Zoraida se mudó a México, conoció a Julieta Montelongo. Ellas decidieron escribir en español los cuentos de África.

Si te gustó "Un mango de rechupete", lee estos otros cuentos de Zoraida Vásquez y Julieta Montelongo.

138

Ya sabes, cuando quieras alcanzar una fruta sabrosa, o te encuentres metido en algún problemita, recuerda a Tica, ¡y ponte a pensar en cómo solucionarlo!

¿Por qué el conejo tiene las orejas tan largas?

por Zoraida Vásquez y Julieta Montelongo

Hace muchos, muchos años, las orejas del conejo eran cortas, como las de un gato. Pero un día el conejo travieso se metió donde no debía. Las orejas largas fueron su castigo.

El gavilán no quiere a las gallinas

por Zoraida Vásquez y Julieta Montelongo

El gavilán y las gallinas eran amigos, hace muchos años. Pero las gallinas hicieron algo que el gavilán nunca pudo perdonar. Lee el cuento para ver qué pasó.

139

Adivina, adivinador

El abuelito de Tica le dijo: "Dile a tu cabeza que piense en la manera de resolver tus problemas". Pues, ahora dile a tu cabeza que resuelva estas adivinanzas.

Entro por el mar
y salgo por la garita.

Es un gran señorón,
tiene verde sombrero,
y pantalón marrón.

Es verde por fuera,
es roja por dentro,
con pepitas negras
en el mismo centro.

No soy plata, plata no soy;
ya te he dicho quien yo soy.

Blanca por dentro,
verde por fuera,
si no lo adivinas,
piensa y espera.

el árbol

la pera

el plátano

la sandía

la margarita

La vaca estudiosa

Había una vez una vaca
en la Quebrada de Humahuaca.

Como era muy vieja, muy vieja,
estaba sorda de una oreja.

Y a pesar de que ya era abuela
un día quiso ir a la escuela.

Se puso unos zapatos rojos,
guantes de tul y un par de anteojos.

La vio la maestra asustada
y dijo: —Estás equivocada.

Y la vaca le respondió:
—¿Por qué no puedo estudiar yo?

La vaca, vestida de blanco,
se acomodó en el primer banco.

Los chicos tirábamos tiza
y nos moríamos de risa.

La gente se fue muy curiosa
a ver a la vaca estudiosa.

La gente llegaba en camiones,
en bicicletas y en aviones.

Y como el bochinche aumentaba
en la escuela nadie estudiaba.

La vaca, de pie en un rincón,
rumiaba sola la lección.

Un día toditos los chicos
se convirtieron en borricos.

Y en ese lugar de Humahuaca
la única sabia fue la vaca.

—María Elena Walsh

El porqué de

Hay leyendas que explican por qué la rana no tiene cola. Hay otras que explican por qué la jirafa tiene un cuello tan largo, y otras que describen cómo fue que la Luna llegó a vivir en el cielo. Pero, ¿sabes cómo fue que las leyendas se empezaron a contar?

las leyendas

Hace muchos, muchos años, la gente no sabía las respuestas a muchas preguntas. Por eso, inventaba cuentos para explicar el porqué de las cosas. Inventaba cuentos para explicar todo lo que no comprendía.

La gente de África siempre se preguntaba por qué el Sol y la Luna viven en el cielo. Un día alguien inventó este cuento:

El Sol y la Luna eran buenos amigos del Agua. Iban a visitarla a menudo a su casa. Un día, el Sol y la Luna invitaron al Agua a la casa de ellos. El Agua no quería ir, pero tanto insistieron el Sol y la Luna que por fin fue.

Empezó a entrar por la puerta principal y la casa se empezó a llenar de agua. Pronto el agua les llegaba hasta las rodillas, luego hasta la cintura y seguía subiendo. Como el agua seguía subiendo, el Sol y la Luna subieron al techo.

Por fin, el Sol y la Luna se tuvieron que mudar al cielo para no ahogarse, y allí están todavía.

En diferentes partes del mundo había diferentes cuentos para explicar la misma cosa.

Al mirar la Luna, mucha gente ve cosas diferentes. ¿Qué ves tú? En los Estados Unidos, muchos ven la cara de un hombre. En México y en partes de África dicen que es un conejo. En el Perú creen que es un zorro.

En África cuentan esta leyenda:

Un conejo estaba cansado de ser chiquitito. Todos los animales más grandes lo perseguían. Así que un día, dio un tremendo salto, y llegó hasta la Luna. Se quedó allí desde ese día porque en la Luna nadie lo persigue.

Pero, en el Perú, la leyenda es diferente:

El zorro estaba enamorado de la Luna y
quería ir a visitarla. Le pidió al águila que
amarrara la punta de una soga a la punta de la
Luna. Cuando la soga estaba amarrada, el zorro
subió rápidamente y pronto llegó a la Luna. Si
miras atentamente, verás que está allí todavía.

Las leyendas vienen de todas partes del mundo. Algunas explican el porqué de las cosas en esa parte del mundo.

Por ejemplo, en Laos hay tigres, pero no muchos. ¿Sabes por qué? La siguiente leyenda te lo explicará.

LEYENDA DE LOS HMONG DE LAOS
CONTADA POR BLIA XIONG

NUEVE CADA UNO, ¡GRAU! ¡GRAU!

ADAPTACIÓN DE CATHY SPAGNOLI
ILUSTRACIONES DE NANCY HOM

Hace muchos años, cuando la Tierra quedaba mucho más cerca del cielo, vivió la primera tigresa. La tigresa y el tigre no tenían ni un cachorro. Por eso la tigresa, sintiéndose muy sola, se puso a pensar en el porvenir y en cuántos cachorros tendría.

La tigresa decidió visitar al gran dios Chao, quien vivía en el cielo. Era un ser amable y bondadoso que sabía todo lo que se podía saber. Seguro que Chao le diría cuántos cachorros tendría.

La tigresa salió por el camino que iba hacia el cielo. Remontó bosques de bambú rayado y de matas de plátano salvaje. Pasó entre plantas más curvas que el rabo de un gallo. Escaló rocas que parecían dragones dormidos.

Por fin, llegó la tigresa a un muro de
piedra. Al otro lado del muro vio un jardín de
niños que jugaban felizmente bajo un ciruelo.
Muy cerca quedaba una casa grande decorada
en colores que brillaban a la luz del sol. Era
el reino del gran Chao, un reino pacífico que
no conocía ni la guerra ni la enfermedad.

Chao mismo salió a saludar a la tigresa. Las monedas plateadas que colgaban de su cinturón le tintineaban suavemente al caminar.

—¿Por qué has venido aquí, Tigresa? —preguntó gentilmente.

—¡Oh gran Chao! —contestó la tigresa muy respetuosamente—, me siento muy sola y quiero saber cuántos cachorros tendré.

Por unos momentos Chao no dijo nada. Entonces contestó: —Nueve cada año.

—¡Qué maravilla! —ronroneó la tigresa—. Gracias. Muchas gracias, gran Chao.— Y se apartó contenta ya que había recibido tan buenas noticias.

—Espera un momento, Tigresa —le dijo Chao—. Debes recordar lo que te he dicho. Las palabras solas te dirán cuántos cachorros tendrás. No te olvides de las palabras, pues si se te olvidan no te podré ayudar más.

Al principio, la tigresa iba muy contenta por el camino de regreso a la Tierra. Pero después de un rato empezó a preocuparse.

—¡**A** y caramba, caramba! —se decía a sí misma—. Tengo la memoria tan mala. ¿Qué haré para que no se me olviden esas palabras tan importantes de Chao?

Piensa que te piensa, por fin se le ocurrió una idea: —Inventaré una cancioncita y la cantaré. Así no me olvidaré.—Y la tigresa comenzó a cantar:

Nueve cada uno, ¡grau! ¡grau!
Nueve cada uno, ¡grau! ¡grau!

onte abajo iba la tigresa. Pasaba por rocas que parecían dragones dormidos. Caminaba entre plantas más curvas que el rabo de un gallo. Y remontaba bosques de bambú rayado y de matas de plátano salvaje. Una y otra vez cantaba su cancioncita:

Nueve cada uno, ¡grau! ¡grau!
Nueve cada uno, ¡grau! ¡grau!

cercándose ya a su cueva, la tigresa pasó entre nubes de pequeñas mariposas blancas. Oyó los monos que se reían y los venados que balaban. Vio unas serpientes de rayas verdes, vio codornices y faisanes pintos. Y ninguno de los animales le hizo caso a la canción—el único fue una pájara negra, grande y lista: la pájara Eu.

—Mmm —se dijo la pájara a sí misma—. ¿Por qué será que la tigresa viene bajando el monte con una tremenda sonrisa y cantando esa canción?— Y sin más decir, la pájara subió por la escalera que sirve de atajo al reino de Chao.

—¡Oh sabio Chao! —preguntó la pájara muy cortés—, ¿por qué la tigresa canta y canta esa canción?:

Nueve cada uno, ¡grau! ¡grau!
Nueve cada uno, ¡grau! ¡grau!

Y Chao le explicó que le acababa de decir a la tigresa que tendría nueve cachorros al año.

—¡Qué horror! —chilló la pájara—. Si la tigresa tiene nueve cachorros al año, ellos nos comerán a todos nosotros. Dentro de poco no quedarán más que tigres en el mundo. Debes cambiar lo que has dicho, ¡oh gran Chao!

—No puedo retirar mis palabras —suspiró Chao—. A la tigresa le prometí que tendría nueve cachorros al año con tal de que no olvidara mis palabras.

—Con tal de que no olvidara tus palabras —repitió la pájara pensándolo—. Pues ya sé lo que debo hacer, ¡oh gran Chao!

La pájara formuló un plan. Estaba ansiosa de ponerlo en marcha. Sin más hablar, salió de vuelta a la Tierra en busca de la tigresa.

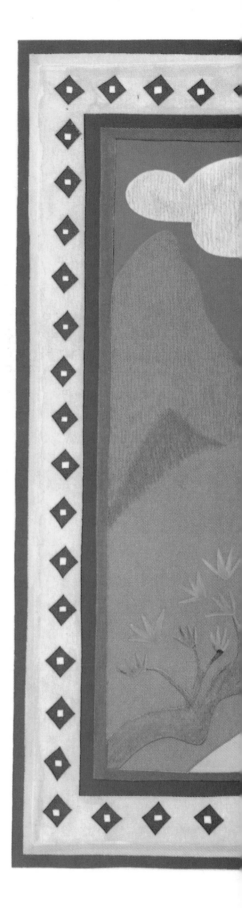

La pájara llegó a su árbol favorito cuando el abuelo Sol se estaba poniendo. Llegó a tiempo para oír a la tigresa que se acercaba más y más cantando:

Nueve cada uno, ¡grau! ¡grau!
Nueve cada uno, ¡grau! ¡grau!

La tigresa se concentraba tanto en la canción, que ni vio a la pájara que aterrizaba en la rama de un árbol cercano.

Sucedió que de repente la pájara empezó a batir las alas violentamente. Flup, flup, flup, sonaban las grandes alas negras de la pájara.

—¿Quién va? —llamó la tigresa.

—Soy yo sola —contestó la pájara con aire de inocente.

La tigresa la miró y gruñó: —¡Grau! ¡Grau! Pájara. Por culpa tuya, por el ruido que has hecho, se me ha olvidado la canción.

Chiquito pero listo

por Zoraida Vásquez y
Julieta Montelongo

Un conejo, harto de que no
lo respetaran, convenció al
hipopótamo y al elefante
que él era más fuerte que
ellos. ¡¿Cómo es posible?!

(Editorial Trillas, 1984)

Cuento de un cocodrilo

por José y Ariane Aruego

Un niño estaba a punto
de ser comido por un cocodrilo
cuando un mono lo ayudó.
¿Cómo pudo ganar un mono
contra un cocodrilo?

(Scholastic Inc., 1979)

¡Ya sé qué hacer!

**Cuando los personajes de estos libros
tienen un problema y no saben qué hacer,
no se rompen la cabeza. La usan.**

El rabipelado burlado

recopilado por
Fray Cesáreo de Armellada
adaptado por
Kurusa y Verónica Uribe

Un día un rabipelado trató
de comerse a unos pájaros
trompeteros, a un piapoco y
a la Poncha Relojera. Lee
el libro para averiguar cómo
se le escaparon al
rabipelado.
(Ediciones Ekaré -
Banco del Libro, 1978)

Amigos con suerte

por Zoraida Vásquez y
Julieta Montelongo

Ahí estaban el conejo y
la ardilla, prisioneros en
una bolsa. El leoncillo los
tenía atrapados y se los
iba a comer. ¿Cómo se
escaparon los dos amigos?
(Editorial Trillas, 1984)

CONOZCAMOS A BEATRIZ BARNES

Beatriz Doumerc y su esposo Ayax Barnes pasan el tiempo inventando historias en compañía de sus seis hijos y de un gato brasileño que no es un gato, según ellos, sino un príncipe hechizado.

Sucede a veces que la gente se tapa los ojos y los oídos, cansada de ver y oír esas historias. Entonces, Ayax se dedica a pintar señoras que tienen un tigre dormido en el regazo y Beatriz hace tartas con una receta en clave secreta. Pero después los tigres se despiertan y se comen las tartas apenas salidas del horno . . . y a Beatriz y a Ayax no les queda más remedio que seguir inventando historias. Siempre lo mismo desde hace un montón de años . . . ¡Es una historia de nunca acabar!

EL LABRADOR Y SUS HIJOS

Un viejo labrador que estaba para morir llamó a sus dos hijos y les dijo:

—Quiero hablarles a solas y con tranquilidad. Estoy muy viejo, así que voy a morir; pero antes quiero decirles un secreto. Esta tierra fue de mi tatarabuelo, y después de mi bisabuelo.

Beatriz Barnes
ilustraciones de Lindy Burnett

—Cuando él murió, la recibió mi abuelo, y
después mi padre. Ahora ha sido mía, pero yo ya
no puedo trabajarla. Así que, en adelante, ustedes
serán los dueños de la tierra, y todo lo que hay
en ella les pertenecerá.

Y agregó: —En algún lugar hay un tesoro
escondido. No sé dónde se encuentra. Pero, con
un poco de trabajo, lo hallarán.

—Nunca nos habías hablado de eso antes
—dijeron los hijos.

—Esperaba este momento —les respondió el
anciano padre—. Ahora les diré lo que tienen
que hacer.

—Cuando terminen de cosechar el trigo, el
lino y el maíz que se ha sembrado este año,
caven, registren, remuevan la tierra palmo a
palmo . . . ¡No dejen ni un pedacito sin remover
y de seguro que encontrarán el tesoro
enterrado . . . !

El viejo labrador murió y sus dos hijos esperaron hasta la cosecha.

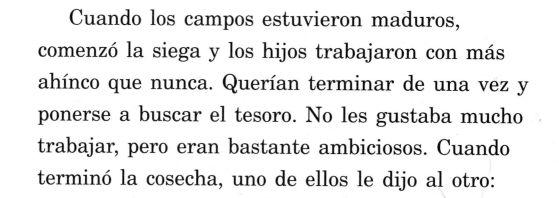

Cuando los campos estuvieron maduros, comenzó la siega y los hijos trabajaron con más ahínco que nunca. Querían terminar de una vez y ponerse a buscar el tesoro. No les gustaba mucho trabajar, pero eran bastante ambiciosos. Cuando terminó la cosecha, uno de ellos le dijo al otro:

—Nos repartiremos el trabajo: tú removerás el campo de trigo y el de girasol; yo, el de lino y el de maíz.

El otro aceptó e inmediatamente se pusieron a cavar.

Trabajaron todos los días de muchos meses con gran entusiasmo. A cada golpe de azadón les parecía que iba a aparecer el tesoro y así seguían removiendo y removiendo la tierra.

Cuando les faltaba un poquito para terminar y
aún no habían encontrado nada, uno le dijo al otro:

—¿Qué te parece si, ya que tenemos el campo
tan removido, sembramos un poco? ¡Así, mientras
seguimos buscando, crecerá el trigo! Y podemos
sembrar también lino, maíz, girasol . . .
¡De todo. . . !

—Me parece muy bien —dijo el otro.

Y mientras uno sembraba, el otro seguía
removiendo y removiendo, hasta que no quedó
más que un pedacito de tierra de la extensión
de un zapato.

Entonces uno le dijo al otro:

—Queda solamente este pedazo de tierra, no creo que haya aquí ningún tesoro.

Y era verdad, removieron aquel pedacito de tierra y no había nada.

Pero, mientras tanto, el trigo, el lino, el maíz y el girasol habían crecido. De la tierra tan removida y trabajada, habían salido espigas y mazorcas que parecían de oro; las flores rojas y azules del lino brillaban como piedras preciosas bajo la luz del sol. Los girasoles eran enormes y brillantes como las monedas que guardan los piratas en sus cofres . . .

Entonces uno de los hermanos le dijo al otro:

—¡Mira el campo! ¡No parece el mismo de antes! ¡Parece un . . . !

—¡Parece un tesoro! —dijo el otro.

—¡Sí! ¡Un enorme tesoro!

—¡Y lo hemos hecho nosotros!

—¡Removiendo la tierra palmo a palmo!

—¡Un tesoro que ha salido del fondo de la tierra!

—¿Te parece que sabría esto nuestro padre?

Y en aquello pensaban aún, mientras recogían la espléndida cosecha.

Así que, año tras año, volvieron a remover la tierra bien a fondo, y a sembrar y a recoger. Hasta que estuvieron viejos y cansados.

Entonces llamaron ellos a sus hijos y

les dijeron bajito:

—En el campo hay un tesoro escondido...

Y los hijos removían la tierra con tanto vigor y entusiasmo, que todo lo que nacía, crecía fuerte y hermoso, y brillaba al sol como un tesoro . . .

Entonces los hijos se daban cuenta, pero
siempre se preguntaban, mientras recogían
las cosechas:

—¿Sabrían nuestros padres de estas cosas?

Y el trigo y el lino y el maíz y el girasol les
daban la respuesta.

Sinfín

De la semilla el naranjo,
del naranjo el azahar,
del azahar la naranja.

Y otra vez a comenzar.

En semilla está naranjo,
en naranjo está azahar,
en azahar la naranja
y en naranja —¡maravilla!—
    la semilla
    de sembrar.

¿Quieres que vuelva a empezar?
                                    —Mirta Aguirre

LA SORPRESA DE LOS MIÉRCOLES

Eve Bunting

A mí me encantan las sorpresas. Pero la que Abuelita y yo estamos planeando para el cumpleaños de Papá es la mejor de todas.

ilustraciones de Donald Carrick

rabajamos los miércoles por la noche. Los miércoles, Mamá trabaja hasta tarde en la oficina y mi hermano, Sam, se va a jugar básquetbol en la YMCA. Ese día, Abuelita toma el autobús desde el otro lado del pueblo y viene a estar conmigo.

Yo me paro frente a la ventana para ver cuándo llega y mientras tanto soplo en el vidrio para hacer dibujos con el vaho. Apenas la veo le digo a mi hermano:
—¡Sam! ¡Ya llegó!— y él me contesta que puedo bajar la larga escalera para esperarla en la puerta.

—¡Abuelita! —le digo.

—¡Ana! —Viene ella, jadeante, y trae una gran bolsa de tela que le roza las piernas.

Cuando nos vemos, nos abrazamos. Ella me dice cuánto he crecido desde la semana pasada y yo le digo cuánto ha crecido ella también. Es un chiste que compartimos. Entre las dos subimos la pesada bolsa.

Le enseño el dibujo que hice con el vaho, si es que todavía se puede ver. Casi siempre sabe lo que es. Casi siempre ella es la única que lo sabe.

Los miércoles por la noche comemos perros calientes.

—¿Qué sabes de tu papá? —Abuelita le pregunta a Sam.

Abuelita me da otro abrazo:
—¡Sólo siete años y ya todo
un cerebro!

Eso me hace sentir bien. Digo
yo entonces: —¡Qué sorpresa se
van a llevar el sábado!

Cuando regresa Sam, jugamos
a las cartas y cuando regresa
Mamá, ella también juega.

—¿Vas a venir a cenar el día
del cumpleaños? —le pregunta
Mamá a Abuelita cuando ésta ya
se va.

—Ah, sí, el cumpleaños —dice
Abuelita medio indiferente, como
si se le hubiera olvidado otra vez.
Como si no hubiéramos estado
preparando nuestra sorpresa
especial semana tras semana.
Abuelita se las sabe todas.

—Sí, cómo no —le contesta.

El corazón me da aletazos terribles cuando abro la bolsa y le doy el primer libro a Abuelita. El título es *Rositas de maíz*. Le aprieto la mano a Abuelita y ella se levanta y empieza a leer.

Mamá y Papá y Sam se quedan pasmados.

Papá salta y dice: —¿Qué es esto?— pero Mamá lo hace callarse y sentarse de nuevo.

Abuelita tiene la palabra. Termina *Rositas de maíz*, que le toma un buen rato, y me da el libro, con la cara radiante.

Yo me río de pura emoción.

Abuelita lee y dramatiza *El cerdito de Pascua*. Y *El conejito de terciopelo*.

—Es mucho mejor aprender a leer cuando uno es joven —le dice a Sam con aire serio—. Puedes perder la oportunidad con el pasar de los años.

Sam se resiente: —Pero yo sé leer, Abuelita.

—Como sea. —Abuelita saca otro libro.

—¿Vas a leer todo lo que hay en la bolsa, Mamá? —le pregunta Papá. Tiene una sonrisa de oreja a oreja, pero también tiene los ojos llenos de lágrimas y él y Mamá se han tomado de las manos por encima de la mesa.

—Tal vez lea todo lo que hay en el mundo ahora que he empezado —dice Abuelita con orgullo—. Tengo tiempo. —Y me guiña un ojo.

—Bien, Ana, ¿qué te parece? ¿Fue una buena sorpresa?

Yo corro a su lado y ella pega su mejilla a la mía.

—La mejor —le digo.

Conozcamos a
Eve Bunting

Eve Bunting explica cómo se le ocurrió la idea para "La sorpresa de los miércoles" de esta manera: —Una amiga me sacó a cenar y empezó a hablar de cómo le había enseñado a leer en inglés a su madre, Katina, usando libros ilustrados. Todos los días había traído libros a su casa de la escuela o de la biblioteca, y ellas los leían juntas.

Añade: —"La sorpresa de los miércoles" es mi libro pero es la historia de Katina.

A la Srta. Bunting le encantan las ilustraciones de Donald Carrick. Le preguntó si la cocina de "La sorpresa de los miércoles" era como la suya. Él le dijo: —Sí. Siempre hay una parte de mi casa en mis libros.

Conozcamos a
DONALD CARRICK

Donald Carrick empezó a dibujar cuando era niño y siguió dibujando por el resto de su vida. Su primer trabajo fue pintar letreros y anuncios. Más tarde hizo dibujos para anuncios en periódicos y revistas. Su esposa, Carol, escribió el primer libro para niños que él ilustró, *The Old Barn*. Después de eso, Donald Carrick ilustró más de ochenta libros. Algunos de los más populares son sobre un niño llamado Christopher y sus dos perros. Otros dos libros conocidos son sobre un niño llamado Patrick quien se imagina que hay dinosaurios en todos lados.

Cuando yo cierro los ojos . . .
¿Qué sucede?
¿Quedan quietas las paredes?
¿No se mueven?
¿Dónde va la luz que estaba
yo mirando?
¿Se mete por mis bolsillos
disparando?
¿Dónde va toda mi casa
si me duermo?
¿Sigue igual o no?
¿Qué pasa? No me acuerdo . . .
Cuando yo cierro los ojos . . .
¿Qué sucede?
¿Pueden quedarse las cosas . . . ?
Dime, ¿pueden?

—Elsa Isabel Bornemann

225

CONTENIDO

¡Qué compañeros!

Todos para uno y
uno para todos.

—DICHO TRADICIONAL

Conozcamos a Carme Solé Vendrell

Ilustrar libros de niños es un oficio muy divertido. Carme Solé Vendrell piensa que sí. Dice: —Yo elegí esta forma de arte para expresarme, porque me gusta el mundo de los niños y los libros y porque me gusta que mi trabajo pueda llegar a todos.

La ilustradora vive en España y, desde 1968 hasta hoy, ha ilustrado más de doscientos libros, algunos de los cuales han sido también escritos por ella. Ha ganado muchos premios por sus dibujos, entre ellos el Premio Nacional por los dibujos de "Peluso y la cometa". Sus libros se han traducido a las principales lenguas del mundo.

PELUSO Y LA COMETA

JEAN PAUL LECLERCQ
ilustraciones de Carme Solé Vendrell

Peluso era un pájaro pequeñito con plumón gris y sin brillo, como el de todos los pájaros pequeños. A Peluso no le gustaba su plumón, quería tener unas bonitas alas, llenas de color, para poder volar y se sentía lleno de envidia cada vez que veía una mariposa.

Un día, no aguanta más y decide hacerse
unas alas con papeles de colores.

¡Ay! El primer soplo de viento le arrastra
como si fuera una brizna de paja.

Como Peluso es tan pequeñito, no tiene
fuerzas suficientes para manejar las grandes
alas de papel y cae al suelo.

Por suerte, un niño, Marcos, ha visto la caída
y recoge al desafortunado pajarillo.

239

Marcos pasó días y noches enteras cuidando a Peluso.

Después, para hacerle recuperar fuerzas, le
da de comer toda clase de cosas buenas.

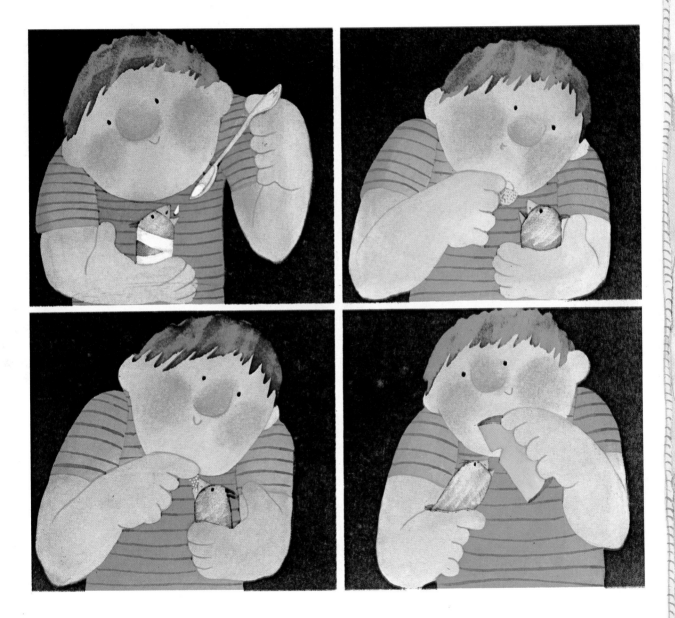

Cuando Peluso, ya recuperado, puede por fin levantarse, Marcos le lleva a jugar con él.

Pero la cometa de Marcos era mucho más hermosa que el pobre plumaje gris de Peluso.

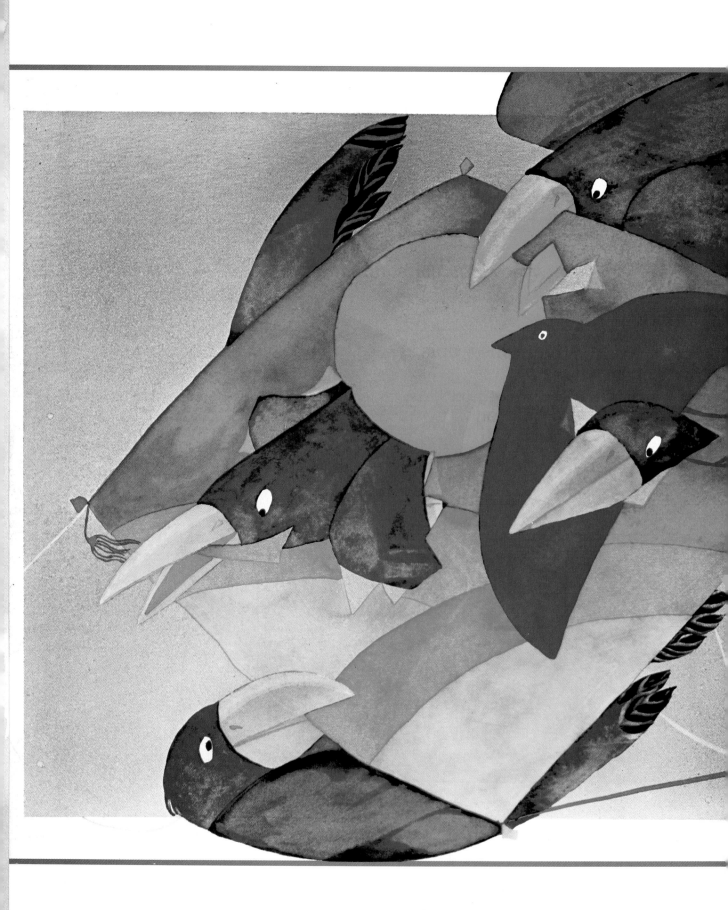

Marcos, lleno de tristeza, contempla su bonita cometa destrozada y se echa a llorar sobre los restos de su juguete. Y Peluso, de repente, siente una gran vergüenza por lo que le ha hecho.

Entonces, arrepentido, decide hacer para su amigo la cometa más bonita del mundo. ¡Qué pesadas eran las herramientas para sus alas tan pequeñitas!

Por la noche, todo orgulloso de su trabajo,
lleva la cometa ya terminada a la cama
de Marcos.

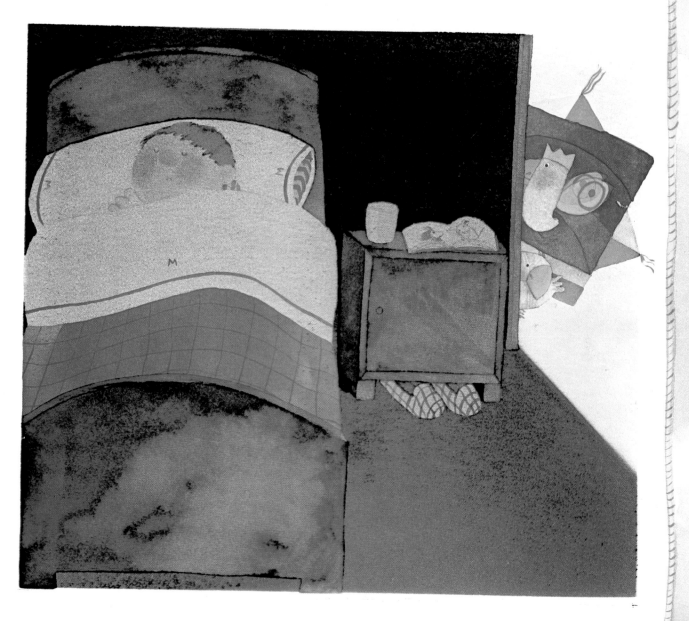

A la mañana siguiente, Marcos se queda sorprendido al encontrar sobre su cama aquella maravilla; pero más aún le sorprende la transformación de su pequeño amigo.

—Mírate al espejo —le dice.

En una sola noche, el pequeño polluelo de plumón gris se había convertido en un gran pájaro con alas de colores, más bello que todas las cometas del mundo.

—Ves —le dice Marcos—, uno se hace adulto cuando aprende a dominar sus sentimientos. Ahora, vuela, el cielo es tuyo.

Marcos sigue jugando, haciendo volar sus
cometas. Pero su gozo sólo es completo cuando
Peluso viene a jugar con él . . . No hace falta
ningún hilo para retener la cometa de
la amistad.

Señor caracol . . .

Señor caracol,
acaracolado,
¿por qué, con su casa
va siempre cargado?

Señor caracol
de los cuernos de goma,
¿por qué los esconde?
¿por qué los asoma?

Señor caracol,
¿por qué, al ir caminando
una alfombra de baba
detrás va dejando?

Señor caracol,
¿no oye lo que digo?
Salga de su concha
que yo soy su amigo.

—Tomás Calleja Guijarro

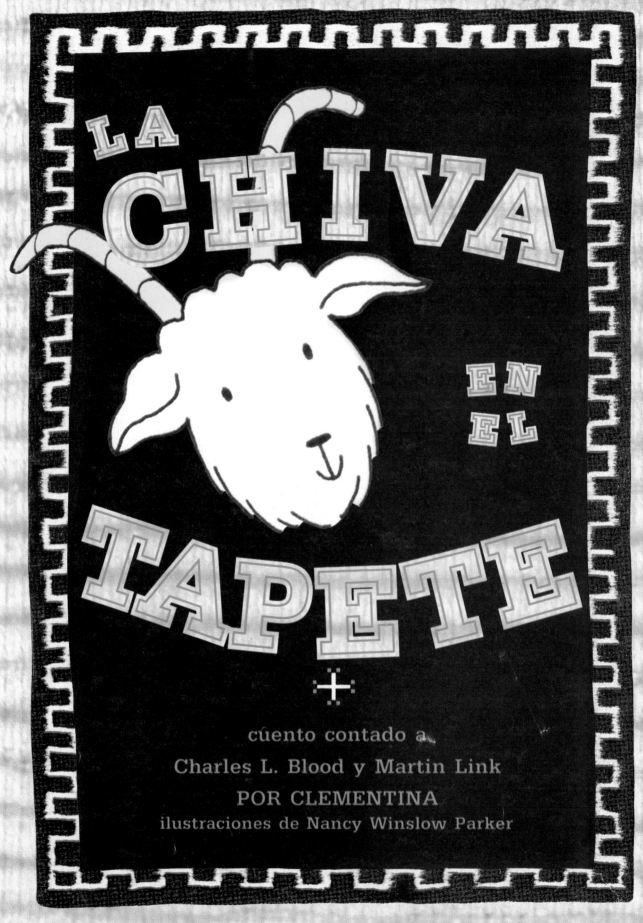

LA CHIVA EN EL TAPETE

cúento contado a
Charles L. Blood y Martin Link
POR CLEMENTINA
ilustraciones de Nancy Winslow Parker

Me llamo Clementina. Vivo en un lugar llamado Window Rock con Lena, una amiga de la tribu de los navajos. El lugar se llama Window Rock por el agujero redondo que tiene. Se parece a una ventana que da al cielo.

Lena se llama Lena porque ese nombre es más fácil de pronunciar que su nombre indio: Gle Nasbah. Su nombre quiere decir "guerrera", pero ella en realidad es una tejedora navajo. Por esto es por lo que un día decidió convertirme en tapete.

Recuerdo que era un día caluroso, de mucho sol. Lena se había pasado la mañana afilando un gran par de tijeras. Yo no tenía la menor idea de lo que iba a hacer con ellas, pero no tardé mucho en averiguarlo.

De repente, me encontré en el suelo y Lena estaba cortando mis largos mechones de lana. (En realidad, se llama mohair.) No me dolió para nada, sin embargo, me puse a patalear como loca. Soy una chiva muy cosquillosa.

Me dejó un poco encuerada y me veía un poco ridícula. Pero ¡qué fresquecita me sentía! Decidí quedarme por allí un rato para ver lo que pasaría.

Lo primero que hizo Lena fue machacar las raíces de una yuca. Cuando mezcló las raíces con agua, salió de ellas una espuma espesa y jabonosa.

Lavó mi lana en la espuma hasta que quedó blanca y limpiecita.

Después de eso, se podría decir que colgó parte de mí al sol para secar. Cuando se había secado mi lana, Lena sacó dos grandes peines cuadrados con muchos dientes.

Al peinar la lana con estos peines cardadores, pues así es como se llaman, quitó ramitas o espinas y enderezó las fibras. Me dijo que esto ayuda a que la lana sea más pareja para hilar.

Luego, Lena empezó a hilar la lana cuidadosamente, un montoncito a la vez. Yo me estaba dando cuenta de que se necesita mucho tiempo para hacer un tapete navajo.

Una y otra vez, Lena enroscó y estiró la lana, la enroscó y la estiró. Luego, enrolló el hilo alrededor de un palo largo y delgado llamado huso. Cuanto más enroscaba, estiraba e hilaba, más delgado, fuerte y parejo se hacía el hilo.

Después de unos días, Lena y yo salimos a pasear. Dijo que íbamos a buscar unas plantas especiales que necesitaba para hacer tinte.

Yo no sabía lo que quería decir la palabra "tinte", pero sonaba a día de campo. Me encanta comer plantas. Eso fue lo que me metió en un lío.

cebolla
silvestre
zumaque
junípero
común
nogal
romaza

Mientras Lena buscaba más plantas,
yo me comía todas las que ella ya había
recogido. ¡Estaban exquisitas!

Al día siguiente, Lena hizo que me quedara en casa mientras ella caminaba millas y millas a la tienda. Dijo que el tinte que compraría no sería igual al que ella hacía de las plantas, pero que tendría que contentarse con él ya que yo me había hartado como un puerco.

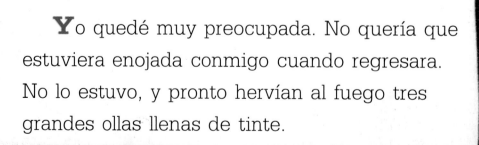

Yo quedé muy preocupada. No quería que estuviera enojada conmigo cuando regresara. No lo estuvo, y pronto hervían al fuego tres grandes ollas llenas de tinte.

Entonces entendí lo que quería decir teñir.
Metió mi lana blanca en una olla . . . ¡y se
puso de color rosita! La metió otra vez.
Se puso más oscura. Cuando había terminado
de teñirla y la había colgado a secar, la lana
estaba de un colorado bien oscuro.

Después de eso, tiñó parte de la lana de color café y otra parte de negro. Yo no pude menos que preguntarme si las plantas que me había comido me pondrían de esos mismos colores.

Mientras yo me preocupaba por eso, Lena empezó a hacer el tapete. Sacó una bola de hilo y empezó a dar muchas vueltas alrededor de dos palos. Yo dejé de contar las vueltas cuando llegó a trescientas. Estaba muy ocupada imaginando que yo sería la única chiva roja, blanca, negra y color café de Window Rock.

Poco después, Lena terminó de dar vueltas con el hilo. Luego, colgó los palos envueltos en hilo de un marco grande de madera. Se parecía al marco de un cuadro hecho de leños—ella le decía "telar".

Después de una semana entera de preparación, Lena empezó a tejer. Comenzó en la parte de abajo del telar. Luego, un hilo a la vez, nuestro tapete empezó a crecer hacia arriba.

Algunos hilos negros.

Algunos de color café.

Algunos colorados.

Por arriba y por abajo. De un lado al otro.

Hasta que, en unos pocos días, el diseño de nuestro tapete se veía claramente.

Nuestro tapete crecía lentamente. Lena hizo un diseño que nunca sería duplicado, justo como lo había hecho cada tejedor navajo por centenares de años.

Entonces, por fin, el tapete estuvo listo. Hasta que no lo examiné detalladamente por delante . . .

. . . y por detrás, no dejé que Lena bajara el tapete del telar.

Gran parte de mí estaba en el tapete. Lo quería perfecto. Y así estaba.

Desde entonces, mi lana ha crecido lo
suficiente como para que Lena y yo hagamos
otro tapete. Espero que lo hagamos pronto.
Porque no quedan muchos tejedores como
Lena entre los navajos,
¿sabías?

Y hay sólo una chivita como yo, Clementina.

Charles L. Blood y Martin Link

La historia de "La chiva en el tapete" realmente sucedió. Charles Blood, quien es en parte indio americano, fue a una reservación de los navajos, donde conoció a Martin Link. El señor Link trabaja en el Museo Navajo en Window Rock, Arizona. Él presentó al señor Blood a Lena y a Clementina.

Cuenta el señor Blood: —Clementina vivía en el zoológico y se paseaba libremente en el museo donde trabajaba Martin.

—Clementina era simpática y sociable —añade el señor Link—. Llevaba una campana y entraba y salía del museo cuando quería. A veces nos poníamos nerviosos cuando estaba adentro, porque se comía los folletos del museo. Se comía todo lo que veía.

El señor Link dice: —El propósito de este cuento fue mostrar la relación entre la cultura india americana y el mundo animal. Los indígenas saben vivir en armonía y cooperación con los animales. Pueden enseñarnos a hacerlo.

—Desde que vi por primera vez "**La chiva en el tapete**", quise hacer los dibujos para el cuento —dijo Nancy Winslow Parker—.

Pasé mucho tiempo visitando exposiciones en los museos para aprender sobre los navajos. También leí muchos libros sobre tejidos y estudié los tapetes y la ropa navajos. Usé lo que aprendí para hacer los diseños en los bordes y la ropa que usa Lena.

Los autores también la ayudaron. Ella explicó: —El señor Link y el señor Blood me dieron fotos de una tejedora en una reservación de los navajos en Window Rock. Las fotos me ayudaron mucho.

¡Vamos a jugar!

A galope vengo,
a galope voy;
en mi caballito
muy contento estoy.

—Tradicional

Acitrón de un fandango,
zango, zango, sabaré,
sabaré de farandela,
con su triqui, triqui, tran.

Por la vía voy pasando,
por la vía pasa el tren,
acitrón de un fandango,
zango, zango, sabaré.

—Tradicional

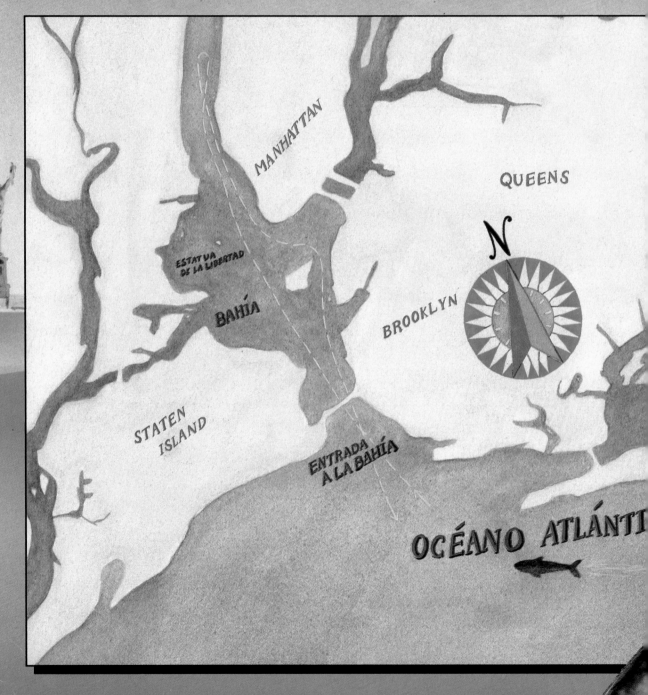

EQUIVOCA

HARRIET ZIEFERT

ILUSTRACIONES DE
ANDREA BARUFFI

LONG ISLAND

Era una enorme ballena jorobada que se equivocó. Estaba nadando en el mar y en vez de nadar hacia alta mar, dobló y subió por el río Hudson, hacia el puerto de Nueva York.

Nadie sabía por qué Henry—pues ése fue el nombre que le pusieron—quería estar en el puerto de Nueva York. No había nada que comer en esas aguas. Pero estaba allí.

Henry nadó por debajo del puente de Verrazano-Narrows. Era un día de sol, y el tránsito en el puente avanzaba rápidamente. Desde el puente nadie se fijó en la ballena pero, en el puerto, el capitán de un barco sí la vio. Les hizo señas a los otros barcos: *¡Cuidado con la ballena!*

Todos se emocionaron. Nadie había visto una ballena en el puerto de Nueva York. Todos estaban vigilando a Henry. Pero, ¿dónde estaba?

—¡Miren! ¡Allí está! —gritó una de
las personas que estaba visitando la
Estatua de la Libertad—. Miren bien, todos,
porque tal vez no vuelvan a ver otra igual.

294

El *Queen Elizabeth II* navegaba hacia alta mar cuando pasó a Henry. La ballena se veía pequeña junto al gran navío. Al oír la sirena del barco, Henry se sumergió.

Los guardacostas quisieron ayudar a la ballena y mandaron un bote para que la siguiera.

Henry se alejó rápidamente del patrullero. Pasó junto a un portaaviones, el *Intrepid.* La gente que estaba a bordo le aplaudió cuando Henry lanzó una maravillosa rociada de agua.

De repente, Henry desapareció.

Nadie volvió a ver a Henry hasta esa tarde. Para entonces estaba cerca del *World Trade Center*. Parecía que estaba perdida.

—Tenemos que ayudar a Henry a regresar al mar —dijeron los marineros del guardacostas—. Hay demasiados barcos en el puerto. ¡La pueden golpear!

Ahora, los guardacostas empezaron a perseguir a Henry. El capitán del barco había decidido hacerla regresar al mar.

¡Y tuvo éxito! Tal vez a Henry no le haya gustado el sonido de los motores del barco. Tal vez haya tenido hambre. El resultado fue que Henry dio una media vuelta.

Henry nadó rápidamente. Para cuando la luna apareció en el cielo, la ballena había llegado al puente de Verrazano-Narrows y se dirigía a alta mar.

Henry salió del puerto y luego se sumergió.

—¡Buena suerte, Henry!

CONOZCAMOS A HARRIET ZIEFERT

Y

ANDREA BARUFFI

A **Harriet Ziefert** se le ocurrió la idea para "Henry se equivoca" cuando leyó la noticia sobre Henry, la ballena, en el periódico de Nueva York.

Harriet Ziefert decidió no inventar los pensamientos y sentimientos de Henry. Dice: —No sabemos por qué las ballenas hacen a veces lo que hizo Henry. Sólo sabemos que a veces se confunden.

La Srta. Ziefert ha escrito más de 100 libros para niños. Les dice a los niños: —Cuanto más uno escribe, tanto más fácil es escribir cuentos.

Andrea Baruffi vino a los Estados Unidos de Italia. Dice: —"Henry se equivoca" fue un libro muy interesante para mí porque dibujé algo que realmente ocurrió. Yo vivo junto al río Hudson donde sucedió el cuento.

Para este libro le fue importante al Sr. Baruffi conocer el puerto de Nueva York. Dice: —Un día hice un viaje en barco para ver cómo debía dibujar los transbordadores.

OJO A LA BALLENA

¿Adónde van?

La ballena jorobada que nada en el Océano Pacífico pasa sus veranos cerca de la costa de Alaska. Viaja a las aguas de Hawaii, un viaje de unos 5,556 kilómetros (3,000 millas), o a México, un viaje de unos 6,262 kilómetros (3,381 millas), para pasar el invierno.

NORTE
OESTE ESTE
SUR

La ballena jorobada que nada en el Océano Atlántico se alimenta durante el verano cerca de las costas de Maine, Canadá, Groenlandia o Islandia. En el invierno, viaja a Puerto Rico o hasta la punta de América del Sur, un viaje de unos 21,173.916 kilómetros (11,433 millas).

Groenlandia

Islandia

Alaska

Canadá

Maine

OCÉANO ATLÁNTICO

Hawaii

México

Puerto Rico

OCÉANO PACÍFICO

América del Sur

Hoy día existen unas 10,000 ballenas jorobadas. Hace cien años, antes de que los cazadores las mataran, había diez veces más ballenas. Las leyes de hoy protegen a las ballenas de los cazadores.

309

COMPAÑEROS,

Si te gustó el cuento de Henry, tal vez quieras leer más cuentos sobre otra ballena y su buen compañero.

Buenos días, querida ballena
por Achim Bröger y Gisela Kalow
libro en español de Herminia Dauer

Un viejo marinero sale a navegar y conoce a una ballena. Se hacen buenos amigos y, un día, la ballena decide ir al pueblo a visitar a su amigo. ¿Te puedes imaginar a la ballena en la casa de su amigo?
(Editorial Juventud, 1978)

GRANDES Y PEQUEÑOS

Adiós, querida ballena
por Achim Bröger y Gisela Kalow
libro en español de Herminia Dauer

Después de una larga visita,
la ballena decide regresar al mar.
No es fácil para una ballena nadar
por ríos angostos y pasar por
debajo de puentes bajos. Es un
viaje lleno de aventuras.
(Editorial Juventud, 1987)

Triste historia
con final feliz

cuento e ilustraciones de Elena Climent

del Sol

Pues sí, niñas y niños,
resulta que un día el Sol
salió menos luminoso
que de costumbre.

Y no es que no alumbrara,
no; el Sol sí brillaba,
pero su luz era débil,
sin chiste, y el cielo
parecía estar triste.

En la tierra la gente
empezó a preocuparse,
"¿qué tendrá el Sol,
qué le pasará?
¡Da toda la impresión
de carecer de alegría!"

—¡Qué tristeza —dijo un niño—
ver al Sol llorar
y no poderlo consolar!

Las aves no cantaron,
las flores no se abrieron,
los niños no jugaron
y en el mar
todos, todos los peces
se escondieron.

Con gente de todo el mundo
se hizo una reunión,

para ver si entre todos
hallaban solución.

Fue un músico el primero
que dijo: —Yo sugiero
mandarle al Sol una canción
que le llegue al alma
y le alegre el corazón.

Luego dijo un jardinero:
—Yo le enviaría una rosa,
estaría metida en
un florero, sería
amarilla, grande
y muy hermosa.

—¿Y qué me dicen de un ungüento?

—dijo una doctora.

—¡O mejor un lindo cuento!

—intervino una escritora.

¡Qué de cosas, qué de ideas!
¡Qué de ruidos y empujones!
¡Cuál ganará!
¡Cuál servirá!,
gritan todos en las sesiones.

Y así mandan todo
metido en un globo.
¡Ya lo sueltan, va volando,
ya al Sol se está acercando!

Pasó la noche,

y llegaba el día . . .

¡El Sol salía

lleno de alegría!

¿Cuál fue el remedio?, nadie lo sabía.

Pero en secreto cada uno se decía
"fue mi flor", "fue mi cuento",
"yo diría que fue mi ungüento".

Y es así como en algunos cuentos
todos pueden quedar contentos.

Conozcamos a Elena Climent

A Elena Climent le ha gustado
dibujar e inventar cuentos
desde muy niña. Dice:
—A veces armaba libritos
con textos inventados
e ilustraciones, y en la escuela
le agregaba dibujos a mis
trabajos siempre que me lo permitían mis maestros.

La idea para el libro de la "Triste historia del Sol con
final feliz" se le ocurrió cuando vivía en
la Ciudad de México. Dice: —Una mañana, cuando me
asomé por la ventana, vi que el Sol no brillaba como de

costumbre. La contaminación en la ciudad ese día estaba peor que nunca. En ese momento me di cuenta de que las cosas tendrían que cambiar. Quise escribir un cuento en el cual toda la gente hace un esfuerzo para que brille el Sol. Espero que la historia de mi libro se vuelva realidad para que la gente en la Ciudad de México viva mejor.

Si te gustan las ilustraciones de la "Triste historia del Sol con final feliz" puedes ver otras ilustraciones creadas por Elena Climent en *El campo y la ciudad*.

El campo y la ciudad
por Luis Aboites
ilustraciones de Elena Climent

A Pedro no le gustan mucho las ciudades grandes y prefiere vivir en el campo con sus animales y la gente que lo conoce. Cuando va a visitar a su prima Lucía, quien vive en una ciudad grande, se da cuenta de que el campo es tan importante como la ciudad. Lee este libro para saber por qué. (EDITORIAL PATRIA, 1983)

Información Ilustrada

¡Guía para las destrezas y fuentes de información para los cuentos que estás leyendo!

▼▼▼▼▼▼▼▼▼▼
CONTENIDO

JULIO

DOM.	LUN.	MAR.	MIÉR.	JUE.	VIER.	
					1	2
4	5	6	7	8		
11	12	13	14	15		
18	19	20	21	22		
25	26	27	28			

Calendario 1993

ENERO

DOM.	LUN.	MAR.	MIÉR.	JUE.	VIER.	SÁB.
					1	2
3	4	5	6	7	8	9
10	11	12	13	14	15	16
17	18	19	20	21	22	23
24/31	25	26	27	28	29	30

FEBRERO

DOM.	LUN.	MAR.	MIÉR.	JUE.	VIER.	SÁB.
	1	2	3	4	5	6
7	8	9	10	11	12	13
14	15	16	17	18	19	20
21	22	23	24	25	26	27
28						

MARZO

DOM.	LUN.	MAR.	MIÉR.	JUE.	VIER.	SÁB.
	1	2	3	4	5	6
7	8	9	10	11	12	13
14	15	16	17	18	19	20
21	22	23	24	25	26	27
28	29	30	31			

JULIO

DOM.	LUN.	MAR.	MIÉR.	JUE.	VIER.	SÁB.
				1	2	3
4	5	6	7	8	9	10
11	12	13	14	15	16	17
18	19	20	21	22	23	24
25	26	27	28	29	30	31

ABRIL

DOM.	LUN.	MAR.	MIÉR.	JUE.	VIER.	SÁB.
				1	2	3
4	5	6	7	8	9	10
11	12	13	14	15	16	17
18	19	20	21	22	23	24
25	26	27	28	29	30	

MAYO

DOM.	LUN.	MAR.	MIÉR.	JUE.	VIER.	SÁB.
						1
2	3	4	5	6	7	8
9	10	11	12	13	14	15
16	17	18	19	20	21	22
23/30	24/31	25	26	27	28	29

JUNIO

DOM.	LUN.	MAR.	MIÉR.	JUE.	VIER.	SÁB.
	1	2	3	4	5	
6	7	8	9	10	11	12
13	14	15	16	17	18	19
20	21	22	23	24	25	26
27	28	29	30	31		

JULIO

DOM.	LUN.	MAR.	MIÉR.	JUE.	VIER.	SÁB.
				1	2	3
4	5	6	7	8	9	10
11	12	13	14	15	16	17
18	19	20	21	22	23	24
25	26	27	28	29	30	31

AGOSTO

DOM.	LUN.	MAR.	MIÉR.	JUE.	VIER.	SÁB.
1	2	3	4	5	6	7
8	9	10	11	12	13	14
15	16	17	18	19	20	21
22	23	24	25	26	27	28
29	30	31				

SEPTIEMBRE

DOM.	LUN.	MAR.	MIÉR.	JUE.	VIER.	SÁB.
			1	2	3	4
5	6	7	8	9	10	11
12	13	14	15	16	17	18
19	20	21	22	23	24	25
26	27	28	29	30		

OCTUBRE

DOM.	LUN.	MAR.	MIÉR.	JUE.	VIER.	SÁB.
					1	2
3	4	5	6	7	8	9
10	11	12	13	14	15	16
17	18	19	20	21	22	23
24/31	25	26	27	28	29	30

NOVIEMBRE

DOM.	LUN.	MAR.	MIÉR.	JUE.	VIER.	SÁB.
	1	2	3	4	5	6
7	8	9	10	11	12	13
14	15	16	17	18	19	20
21	22	23	24	25	26	27
28	29	30				

DICIEMBRE

DOM.	LUN.	MAR.	MIÉR.	JUE.	VIER.	SÁB.
			1	2	3	4
5	6	7	8	9	10	11
12	13	14	15	16	17	18
19	20	21	22	23	24	25
26	27	28	29	30	31	

Diccionario

Artículo principal

Definición

Ilustración

Leyenda

Plural

paraguas

Un **paraguas** es un objeto de tela y de metal que se usa para proteger a las personas de la lluvia. El **paraguas** se cierra cuando deja de llover.
▲ **paraguas**

pardo

Pardo quiere decir de color café. Vi un perro **pardo** correr por el parque.
▲ **pardos**

El perro **pastor** es muy obediente.

pastor

1. Un **pastor** es una persona que cuida ovejas en el campo. El **pastor** llevó las ovejas a la pradera.
2. Se le dice perro **pastor** al perro que ayuda a cuidar ovejas. El perro **pastor** vino corriendo cuando oyó el silbido.
▲ **pastores**

pekinés

Se le dice **pekinés** a un perro de cierto tipo que es de la China. A Luisita le regalaron un perrito **pekinés**.
▲ **pekineses**

permitir

Permitir quiere decir dejar que alguien haga algo. Mis padres no van a **permitir** que yo juegue afuera de noche.

248

344

Palabras guía

perro/pícaro

perro

Un **perro** es un animal con pelo y cuatro patas, que vive en las casas de la gente. Mi **perro** es un buen amigo. ▲ **perros**

persiguió

Perseguir quiere decir seguir a alguien que huye para alcanzarlo. El perro se fue corriendo y Alfonso lo **persiguió**. ▲ **perseguir**

Fotografía

René está practicando una canción en el **piano**.

Verbo en infinitivo

persona

Una **persona** es un hombre, una mujer o un niño. Mucha gente puede ir en un autobús, pero sólo una **persona** puede manejarlo. ▲ **personas**

pétalo

Un **pétalo** es parte de una flor. Los **pétalos** de una margarita son angostos y blancos o amarillos. ▲ **pétalos**

piano

Un **piano** es una caja grande de madera, que produce música. Los **pianos** tienen teclas blancas y negras que se tocan con los dedos. Irma toca el **piano** todos los días para prepararse para el concierto. ▲ **pianos**

Oración ejemplo

pícaro

Una persona o animal es **pícaro** cuando hace travesuras. El niño **pícaro** subió al árbol. ▲ **pícaros**

Mi perrito **pícaro** me escondió la pantufla.

Instrucciones

TINTES NATURALES

VAS A NECESITAR:

- estufa
- olla grande
- agua
- ropa blanca de algodón (camiseta o calcetines)
- varias substancias naturales

TINTES DE SUBSTANCIAS NATURALES

clavelón	cáscara de cebolla roja	
salvia	bellotas	
cáscaras de nuez	moras	
té	café	
espinaca	raíces de diente de león	
cáscara de cebolla amarilla	remolacha	

Instrucciones

QUÉ HACER:

1. Llena la olla de agua y ponla en la estufa.

2. Prende la estufa.

3. Añade la substancia natural para el color que quieras.

4. Deja que el agua hierva a fuego lento hasta que esté más oscura de como quieres tu ropa.

5. Pon la ropa en el agua y hiérvela a fuego lento hasta que quede más oscura de como la quieres. (Cuando se seca, la ropa queda más clara.)

6. Saca la ropa de la olla y enjuágala con agua fría.

7. Exprime la ropa y cuélgala para que se seque.

8. Si no vas a teñir nada más, apaga la estufa y vacía la olla.

Mapas

▼▼▼▼▼

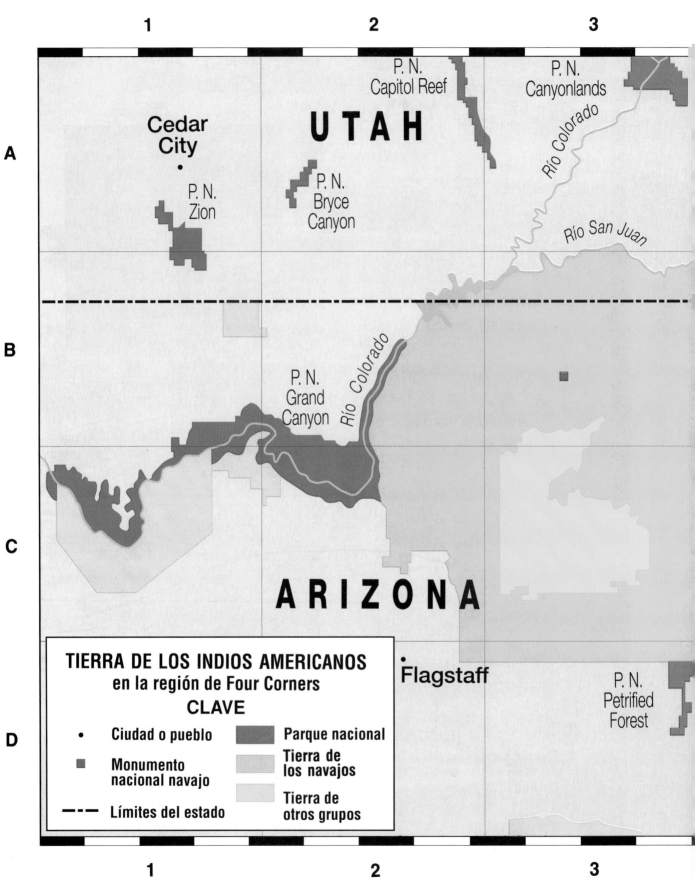

	1	2	3

A

Cedar City •

P. N. Zion

P. N. Capitol Reef

UTAH

P. N. Bryce Canyon

P. N. Canyonlands

Río Colorado

Río San Juan

B

P. N. Grand Canyon

Río Colorado

C

ARIZONA

• Flagstaff

P. N. Petrified Forest

D

TIERRA DE LOS INDIOS AMERICANOS
en la región de Four Corners
CLAVE

- •   Ciudad o pueblo
- ■   Monumento nacional navajo
- ▬ ▬   Límites del estado
-    Parque nacional
-    Tierra de los navajos
-    Tierra de otros grupos

Mapas

▼▼▼▼▼▼▼

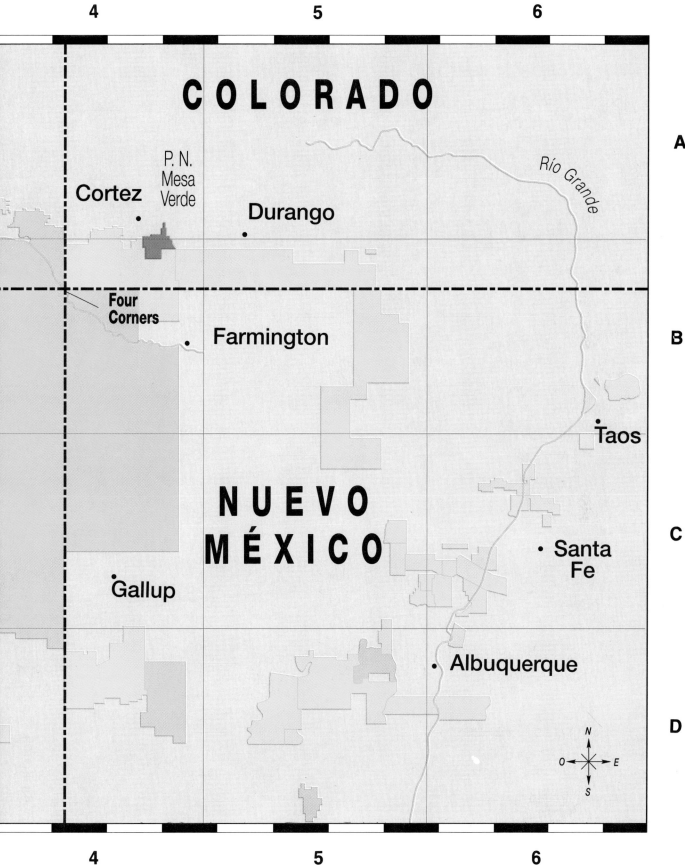

4　　　　　　**5**　　　　　　**6**

COLORADO

A

Río Grande

P. N.
Mesa
Verde

Cortez

Durango

**Four
Corners**

B

Farmington

Taos

NUEVO

C

MÉXICO

**Santa
Fe**

Gallup

Albuquerque

D

N
O ← → E
S

4　　　　　　**5**　　　　　　**6**

Mapas

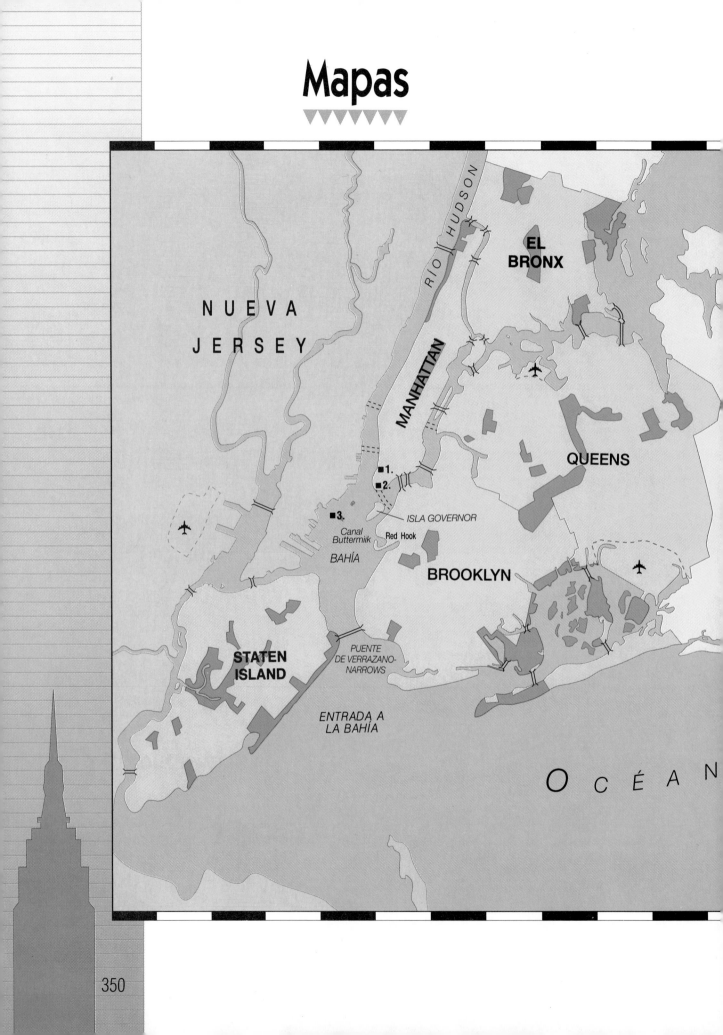

NUEVA JERSEY

EL BRONX

RÍO HUDSON

MANHATTAN

QUEENS

■ 1.
■ 2.

ISLA GOVERNOR

■ 3.

Red Hook

Canal Buttermiik

BROOKLYN

BAHÍA

STATEN ISLAND

PUENTE DE VERRAZANO-NARROWS

ENTRADA A LA BAHÍA

OCÉAN

Mapas

▼▼▼▼▼▼

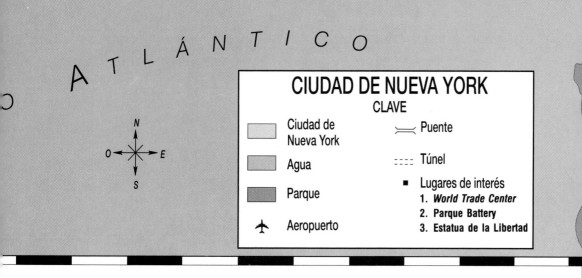

L O N G

I S L A N D

O ATLÁNTICO

CIUDAD DE NUEVA YORK

CLAVE

Ciudad de Nueva York

Agua

Parque

✈ Aeropuerto

⌒ Puente

---- Túnel

■ Lugares de interés
1. *World Trade Center*
2. Parque Battery
3. Estatua de la Libertad

N
O ← → E
S

Glos

En este glosario puedes encontrar
el significado de algunas de las palabras
más difíciles del libro.